JN081200

句集

由布久住

草子洗

soushiarai

飯塚書店

由布久住＊目次

序

草子洗さんは二〇一二年、ホームページを見てわたしたち「田」の仲間に加わると、熱心に大分から東京・金沢の句会や吟行句会に参加して句友と交流を重ね、早々と俳句のたのしみ方を身につけた。それまでは県立病院の看護師が仕事であったが、音楽活動に興味を持ち、エレキベースを弾きながらバンド活動に時間を費やすことが多くなった。公務員体質の病院から比較的自分の時間がとりやすいクリニックや個人病院に職場を替え、音楽へ力を注ぐようになった。その合間に俳句に出合い、俳句には結社というグループがあることを知った。「田」入会後は仕事と音楽と俳句を同じように続けるのは難しく、看護師の仕事に区切りをつけることになった。

二〇一九年に草子洗さんは第五回田賞を受賞。時を同じくして大分県竹田市で収録したNHKの「俳句王国がゆく」にも出演し、他にも地元のテレビの情報番組にもしばしば出演するようになり、俳人草子洗として評価されるようになってゆく。

由布岳は肩越しにあり鰆焼く
由布岳の空を近くに若菜摘む
久住より由布岳見ゆる立夏かな

雲海に久住連山台頭す
雲上の由布岳太き虹を呼ぶ
一匹のひぐらし響く久住山
ひつぢ田や雲を割りゆく鶴見岳
ゆつたりと霧もりあがる由布の峰

大分は日本一のおんせん県として知られ、別府や由布院などは海外からの観光客で賑わっているが、何度か大分を吟行してみると山の多い県だと気づかされる。なかでも由布岳、久住山、鶴見岳は草子洗さんが毎日見ている山である。通勤の行き帰りに、親しみをこめて山に語りかけ、山に見守られて生活している。山の名前の出てくる句を並べて読んでみると、どの山も草子洗さんの家族のようであり、竹馬の友のようでもある。俳句に地名や固有名詞を多用すると絵葉書俳句になりやすく悩ましいところだが、草子洗さんはそれぞれの山と自分を一体化して詠もうと試みている。したがって、山と草子洗さんの間に絶妙の空間が生まれ、季感が生き生きと立ち上がってくる。

また、身近な山以外の風景にも細やかな視線を注ぎ、うぶすなの四季を讃えている。たとえば、次のような句が印象深い。

日脚伸ぶ日田天領の水の音
初夏のあかるき雨の日向灘
秋の水宇佐八幡をあふれしむ
阿蘇山が穏やかに吐く春北斗
駅の名に豊の字つづく蟬しぐれ

冒頭に草子洗さんの音楽活動に触れたが、草子洗さんは、バンドを組みベースを弾くひとである。音楽仲間と演奏している姿を思い浮かべながら、次に掲げた句を読み進むと、俳句も音楽もつくづく創作活動だと気づく。ことに〈おしやべりがいつしか歌に秋うらら〉の「歌に」を「俳句に」に置き換えて読むと、草子洗さんが悠々と俳句と音楽を両立させていることがよく分かる。

肩に雪のこし調律はじめをり

いつまでも歌へる人よ南風
人の輪に楽器加はり冬の虹
葉桜の窓より渡す楽譜かな
シャンソンの声を離れぬ火取虫
ステージを降りるショールを巻き直し
野菊まで歌をうたふといふ仕事
長き夜のうたうたふ画家踊る画家
おしやべりがいつしか歌に秋うらら
フルートの音にはじまる夕涼み

次の三句には「純喫茶草子洗開業」と前書がある。二〇一九年五月、意を決し、大分市で最も歴史のある商店街、ガレリア竹町で純喫茶を始めることになった。開業前から珈琲について学び、ネルドリップで一杯ずつ心をこめて珈琲を淹れる。この珈琲に惹かれて新たな仲間が生まれ、俳句を始めるひとも増えている。

一つ店構へんとする木の芽時
一つ店構へてよりの花見かな
はるかぜを人より招く純喫茶

いよいよ生業となった純喫茶を詠んだものに、次のような佳句がある。二句目の、珈琲豆と旅をしているというのは、珈琲豆の産地へ旅をするようなたのしさを想像する。三句目の、プール帰りの客から水の香りがしたという表現がいかにも純喫茶の雰囲気を醸し出している。

打水のいま金いろに開店す
初夏の珈琲豆と旅をせり
水の香やプール帰りの喫茶店
山笑ふコーヒー豆を浅煎りに
満たされてアイスコーヒー直立す
口紅を褒められてゐるアイスティー

「純喫茶草子洗」は木造二階建ての建物の二階にある。木の階段を軋ませ木肌の馴染んだ手摺を握りながら二階へ上ってゆくと、青春時代へ呼び戻されたような空間がある。俳句関連の書籍と文芸書の蔵書棚に囲まれ、ネルドリップで丁寧に淹れてくれた珈琲を味わいながらいつも長居をしてしまう。大分へゆくたびに必ず立ち寄る「純喫茶草子洗」は、わたしの特等席である。

六月のゆふぐれ色のナポリタン

スパゲティナポリタンの色をシェフは「ゆふぐれ色」とは言わないと思う。ナポリタンの色を「六月のゆふぐれ色」と表現したのは、俳人であり純喫茶の店主草子洗さんなればこそ。六月という言葉はそう簡単には出てこない。

草子洗さんは人を愛し、人から愛されるひとである。次のような諸作に人となりが滲み出ている。日頃から俳句入門の講座を主宰し、「田」の句会として定例の「るんるん句会」「ほのぼの句会」「勉強句会」を指導している。大分の「田」の会員も増え、俳句の〝チーム大分〟のリーダーとしてまことに心強いひとである。

栗ひろひどんどん知らぬ人の輪へ
相づちのたしかなひとや桜餅
先輩であり友であるアロハシャツ
ふんはりと握手してをり文化の日
見送りはあしたふらここ揺らしあふ
をとこひとり香水の香に埋もれさす
仰向けに銀河の下をゆくわれら
手袋のぬくもりのまま貸してもらふ

最後にわたしの共鳴句を掲げ、このたびの句集『由布久住』の上木を心よりお慶び申し上げる。

犬蓼や虚子の句読めば愛子の句

山茶花に語りかけをるコックかな
秋の山越えて賢者となりにけり
節分の鬼とは不幸なるをとこ
ちかぢかと来ててふてふの皺無数
よく知らぬバイクをほめて冬に入る
春愁のため息やがて深呼吸
自転車の名はツバメ号新入生
蓋あけてアイスクリームからお化け
からつぽの谷底みたす茸かな
ストーブや野鳥図鑑に血のめぐり

二〇二四年　豊後梅が咲き揃う頃に

水田光雄

由布久住

第一章　木

（二〇一〇年－一五年）

二〇一〇年

セーラー服睡蓮の光反射せよ

二〇一二年

心太つるりと消えて左利き

いわしぐも一匹二匹降りて来い
月蝕にのぼらんとする冬の蜘蛛

二〇一三年

友はいま離島砂絵の年賀状

窓枠にロミオ来てゐる猫の恋

特急に飛び乗る芹の香り抱き

工房に木の屑増ゆる春北斗

由布岳は肩越しにあり鰆焼く

山桜やまごと花となりにけり

古傷のあとかたもなき日焼かな

雨乞や匙をいつぽん削り出す

白靴や雲ゆつたりと雲の上

去り際に開く日傘の音ひとつ

栗ひろひどんどん知らぬ人の輪へ

人間に溶けこんでゐる牡鹿かな

紙漉の大波がきて小波かな

肩に雪のこし調律はじめをり

二〇一四年

由布岳の空を近くに若菜摘む

久住より由布岳見ゆる立夏かな

青蛙雲をぽかりと蹴つてをり

雲海に久住連山台頭す

いつまでも歌へる人よ南風

雲上の由布岳太き虹を呼ぶ

行水の背中に小さき翼生え

秋うらら木のにほひするバイオリン

犬蓼や虚子の句読めば愛子の句

苦瓜のわた私より優しさう

サックスを小脇に抱へ紅葉狩

闇汁のほのかに光るものすくふ

畑より葱ながながと貰ひけり

人の輪に楽器加はり冬の虹

手袋に住みついてゐる民話かな

二〇一五年

雪しろにさみどりの泡生まれけり

葉桜の窓より渡す楽譜かな

シャンソンの声を離れぬ火取虫

山茶花に語りかけをるコックかな

上京を決めて蟷螂枯れ始む

犬好きと猫好きのゐるクリスマス

ステージを降りるショールを巻き直し

第二章　震

（二〇一六年 - 一八年）

二〇一六年

一村を生き抜く杉や大旦

熊本地震

余震といひ本震といひ春ゆけり

夏の風うけて硝子の醬油差し

あをぞらのフランス料理梅雨明くる

東京のおほきかりけり水の夏

一匹のひぐらし響く久住山

二次会へ手書きの地図や流れ星

秋の山越えて賢者となりにけり

ひつぢ田や雲を割りゆく鶴見岳

初雪や手の大きさを比べあひ

冬虹や手をふつてゐる父淡く

二〇一七年

雲はみな金にふくらみ伊勢まゐり

この空に別れはあらず蠅生る

金星を山の真上に祭鱧

萩刈りて又三郎のあらはるる
こぼれつつ空ひるがへす鷹柱

久住山おほきく座る鴨の水

月あかり含みてあをし蕗の薹

二〇一八年

荒城の月の八十八夜かな

花びらに羽根混ざりをり康成忌

えびふらい春三日月とふやけゐる

恋猫のしつぽとりつくしまもなし

晩鐘へ頭を垂るる孕鹿

声だして声は朧のなかにあり

くちびるに万葉のうた春ショール

たけのこをぬぬぬと抜いてゐたりけり

ひらひらと網戸破れて猫の道

明け易き豊後の壁のキリシタン

真空管灯らせてゐる晩夏かな

首里城の果てよ銀河はくれなゐに

ストリートダンサーくの字小鳥来る

旅立ちの噓永久保存版

日脚伸ぶ日田天領の水の音

雪の上のあしあと我へつづきけり

幾千の星がふるさと狐啼く

第三章　純

（二〇一九年‐二〇年）

二〇一九年

純喫茶「草子洗」開業　三句

一つ店構へんとする木の芽時

一つ店構へてよりの花見かな

はるかぜを人より招く純喫茶

早蕨の香よ膝に置く櫻姫譚

師のもとを離れ桜と暮らしけり

初夏のあかるき雨の日向灘

舞踏会へ出かけるごとく薔薇園へ

六月のゆふぐれ色のナポリタン

月に濡れ夜の光の兜虫

日焼して古本市を帰りくる

街角に日傘の昏さもらひけり

夏祭をとこは髭を持て余し

衣被山を歩きし靴がそこ

ゆつたりと霧もりあがる由布の峰

野菊まで歌をうたふといふ仕事

東へも西へもゆかず天高し

地虫鳴く捨つるものみなもらひもの

長き夜のうたうたふ画家踊る画家

ほろほろとゑのころ草とフランス語

せはしなく前世は栗鼠か栗ひろひ

指先を光らせてゐる花野かな

マスクして誰より先にしやべりだす

粉雪の溶けぬきらめきベレー帽

一撃の鳥落下せり山眠る

牛乳に浸すカステラ雪眩し

きんいろの雪をこぼして旅をして

二〇二〇年

ひだまりの一席分の福袋

春空や空へ伸びきる象の鼻

木の実植う噂話に加はらず

ゆふぐれをゆびに集めて磯遊び

春の旅きのふとちがふ地図持ちて

風光る笑顔の友と別れけり

マネキンが手を振つてをり春帽子

まつさをの蝶連れてくる庭師かな

明易の鴉のなかを掃きにけり
のびるのびるなめくぢ空の色である

龍の絵を掛けて金魚をおどろかす

子蟷螂この世を跳ねてばかりなり

蜥蜴の尾鋼のごとく街を出づ

あんぱんに夕日ふくらむ子規忌かな

もろこしを炙り直して桜島

足あとの日に日に増ゆる紅葉山

秋風に集まる人の箱根好き

蓑虫に船のあかりのとどきけり

十月のたまに大きなオムライス

秋の水宇佐八幡をあふれしむ

みな去りて風にあふるる実むらさき

凩に鳥の匂ひのありありと

ふるきひとみなちりぢりに落葉焚

人形と眼が合ふ雪の降りゐたり

節分の鬼とは不幸なるをとこ

第四章　客

（二〇二一年）

二〇二一年

宇宙までうつかり飛ばすゴム風船

余るとも足りぬとも摘むつくしんぼ

うららかやショーウィンドーに明日の服

彼方まで色濃き列車あたたかし

文鳥を手に乗せ膝に乗せのどか

陽射しほどの月光が触れ官女雛

渺渺と泡立つ雨の蝌蚪の紐

小鍋もて煮出すコーヒー山桜

相づちのたしかなひとや桜餅

春の蠅とまる土星の輪のあたり

太陽に足さしいれて春の水

うららかに庭より客の来たりけり

ザビエルの正面に立つ春の虹

ちかぢかと来ててふてふの皺無数

米もらふ菜の花遠くゆれてをり

花束がひとつ清和のピアノの上

薪能星へつらなる火の粉かな

兜虫あらゆるものを投げとばす

河鹿啼く湯舟にゆふひみたしあり

通夜終へて団扇の風があるこの世

撫でてみる夏草金に変はりけり

アカシアの花解散といふつどひ

鼻歌に蚊の流れつく夜風かな

潮騒のみな風鈴に来たりけり

半日を日傘のなかに隠れ棲む

白玉を噛みて会話に近づきぬ

よく踊る影つれきたる黒揚羽

先輩であり友であるアロハシャツ

おろしたての鏡より夏来たりけり

噴水が空打つ人の通るたび

絵日傘の少し哀しき穴ひとつ

打水のいま金いろに開店す

色ちがふ葡萄の雫こぼしあふ

さよならの後ろ歩きの花野かな

人間の手がひらひらと花野原

ふんはりと握手してをり文化の日

旅終へてゆつくり焦がす秋刀魚かな

よく知らぬバイクをほめて冬に入る

すれ違ふとき冬ばらの青に触れ
白き手のするりと出たる毛皮かな

噓して地球ひとつを膨らます

たくさんの雪たくさんのフランスパン

水槽の怒りし河豚と待たさるる

凍星や自転車かるく二つ折り

山眠る皿あらひつつ聴く映画

うつくしき字を連ねたし日記買ふ

歩くこと好きな神社の寒鴉

鳥の耳どこにあるのか冬日向

寒鯉に祝ひの声を落としあふ

粉雪を来て傘立ての傘匂ふ

板チョコを折るに鼻より白き息

ふくろふの空気を抱いてゐるかたち

第五章　顔

（二〇二二年）

二〇二二年

キリストの腕のひろがり初日の出

初夢のシルクロードがわが庭へ

書初や風一陣にときめきぬ

啼きさうなうぐひす餅が父の前

切れ目なく輝きて蟻穴を出づ

見送りはあしたふらここ揺らしあふ

ふらここや足先の月蹴り返し

いかなごの顔顔顔やひとすくひ

芹食みて頭脳明晰なる一日

初夏の珈琲豆と旅をせり

葉桜の木の根に山を語りあふ

サイダーやよつてたかつて中学生

海一枚かぶり浮輪に身を通す

森となるまで育てゆくパセリなり

梅雨雲や大貫妙子荒井由美

ははは其のははと紫蘇の葉食んでをり

土用干そいつあいつと服を呼び

旅人と話すに一度きりの汗

蚊帳に入り蚊帳を出てゆく月あかり

水の香やプール帰りの喫茶店

みな揃ふまで真四角の冷奴

ひまはりが低きひまはり覗きこむ

立秋やかるく走らすシトロエン

七夕やいまにもしゃべりさうな星

草木のすつと立ちたる良夜かな

小鳥来る大きな鳥は歩いて来

オリーブの実を摘む水平線ななめ

山霧の宿ほどかるるハムの糸

おしやべりがいつしか歌に秋うらら

毛皮着て顔の細さのあらはるる

水を出てゆく水鳥のすぐ乾き

つつついてふふつとふいてみて海鼠

北風がやさしきちくわ磯部揚げ

花束のごとく大根渡さるる

煮凝の溶けゆく誤算ありにけり

焼鳥のけむり濛々名刺だす

凍蝶を蝶のすがたのままはこぶ

マフラーをほどきていちにちの匂ひ

むささびの如く毛布をひろげたり
冬のなゐ地球儀ごろと逆さまに

マスクしてをんな眉より声をだす

第六章　風

（二〇二三年）

二〇二三年

書初の筆に追ひつく鳥の影

空一枚海一枚の初電車

ちからこぶ見せて注連縄作りかな

年明けてはやしやべりだす鳩時計

大空の遠のいてゆく野焼かな

モナリザのほほゑみひひなのほほゑみ

月見せて和紙に寝かせる紙雛

白梅を重ねて枝の白さかな

いつせいに芽立ちどれにも手が届く

小倉から博多から来る花粉症

木の実植ゑ札立てあるは母のもの

るんるんと来てほのぼのと土筆摘む

マネキンの永久のウィンク鳥帰る

すくと立つ鶏冠の数や春の風

春駒の鼻突き立てて阿蘇の空

よく光るカレーライスやうららけし

春愁のため息やがて深呼吸

伝言が畑を通る木の芽時

新しき客船と会ふ鳥の恋

自転車の名はツバメ号新入生

暖かや絵本を乗せて売る車

絵の中の人が手を振る木の芽時

畑打の土飛んでくる立ち話

うららかやどこへゆきても鳩に餌

鳥かごの鳥のぶらんこゆれて春

葉の裏を見る手が蝶とすれ違ふ

買ってすぐしめるネクタイ風光る

のどけしやきのふけふあす店休日

阿蘇山が穏やかに吐く春北斗

山笑ふコーヒー豆を浅煎りに

春の野にならぶちちはは同じ服

人形の軽き会釈へ花吹雪

春の日に座し巻寿司のわらふ顔

まだぬくき朝顔の種もらひけり

たけのこを掘りあててゐる誕生日

御仏の薄目あけたる代田かな

たそがれへ火の流れこむ薪能

百年の土間をよこぎる初鰹

一鱗の風の大きさこひのぼり

簾より漏れくるホームランの音

蓋あけてアイスクリームからお化け

飲み干して空にとどまるラムネ玉

綿菓子を振りて祭へ誘ひあふ

沙羅の花降る合宿の最終日

大夕焼より黒々と列車伸ぶ

金星や団扇がゆらす父の声

地球儀とおなじ大きさ夏の月

をとこひとり香水の香に埋もれさす

あめんぼへかがみ水輪も傘の中

冷酒を啜りてよりの休暇かな

蛇来る線路に残る熱を曳き

打水の触れゆく一会ありにけり

フルートの音にはじまる夕涼み

出会ふ鳥みな眼白なる一日かな

ちちははが来る万緑を一歩づつ

山ひとつ食べきるごとくかき氷

夏シャツのつぎつぎと来て駅光る

配られし団扇の数の風立ちぬ

満たされてアイスコーヒー直立す

始発まで日焼の腕のうでずまふ

髪洗ふ琉球の砂こぼしつつ

いくたびも波となりたる海月かな

錆びつきて草にあらがふ草刈機

四つに組みあひて蜥蜴のけんかかな

駅の名に豊の字つづく蟬しぐれ

畑より立ちて海まで二重虹

ポップコーン降らせてしまふキャンプかな

靴下がはなればなれに水遊

口紅を褒められてゐるアイスティー

ふりがなに心やすらぐ葛の花

大玉の西瓜拍手に迎へられ

見開きの笑顔の歪む残暑かな

仰向けに銀河の下をゆくわれら

産みたての卵と歩む秋日傘

蚯蚓鳴くこゑあれがさうこれがさう

近くより雨遠くより秋夕焼

観覧車そろそろ月にたどり着く

山の上をすすむ満月映画祭

何人か分からぬ人とぶだう狩

まちなかの一畳ほどの葡萄園

台風へはばたきさうな空家かな

腰の鈴きれいにひびくきのこ狩

口紅が紅茶としゃべる秋日和

星ひとつ星座にならず飛び始む

たたまれてタオルふくらむ秋深し

ちちははと子もゐて案山子一家かな

さはやかや徒歩も会釈も微風なす

乾杯の二文字とどく暮の秋

天高し新幹線は寿司乗せて

のんびりと開店夜のいわし雲

走り蕎麦師弟の距離に変はりなく

キャンセルの声の爽やか暖簾越し

切りわけて栗羊羹に闇と月

抽斗に棲まはせ木の実日暮れけり

出来たての広告熱し星月夜
水色のきのこや毒は無しといふ

からっぽの谷底みたす茸かな

先生が先生と呼ぶ人に柿

行厨の蓋を押し上ぐ栗おこは

鮟鱇の海がこぼるる吊し切り

指の色ちがふ手袋よくうごく

集まるも去るも風鳴る冬館

みなの影みなもへ伸びて冬うらら

芽キャベツの踊るところを掬ひあぐ

手袋のぬくもりのまま貸してもらふ

やはらかき落葉に立ちて天使の絵

古日記開きて起こすパリの風

悴みし手から悴む手へ小銭

籠に立つ白と緑の葱二本

参拝を終へ神さまに風邪もらふ

ストーブや野鳥図鑑に血のめぐり

雪だるま陽にきらきらと嬉し泣き

あをぞらや湯気に巻かるる餅もらふ

喋るたびマスク口へと戻しけり

友のまま手袋のまま手を繋ぎ

皿百枚ぐるぐる拭きて春を待つ

うにやうにやとしやべりだす猫明日は春

あとがき

水田光雄先生の俳句に出会い、「田」に入会してから十二年経ちます。これまでの三三六句を第一句集『由布久住』に収めました。

句集名とした由布岳と久住山は、私の故郷である大分県を代表する山です。二十代の頃、登山をよくしていたこともあり、俳句の世界に入ってからも山を詠んできました。自分の部屋からは、霊山と本宮山が見えます。出勤途中には高崎山、鶴見岳、由布岳を毎日のように眺めます。山は好きです。山を登るときはいつも頂上に向かって無心に歩いていました。呼吸を意識し整えながら。

俳句の世界と似ています。

私はまだ俳句の山を登っている途中です。

これから更に険しい難所や、這ってゆかなければならない崖があるかもしれません。しかし、私のゆく先にはいつも水田光雄先生の背中があり、先人たちの残した俳句があり、また一緒に俳句の山を登ってゆく仲間たちがいます。心強いです。

このたび句集を編むにあたり、水田光雄先生にはお忙しいなかご尽力頂き、また美しい序文を賜りました。心より感謝申し上げます。

いつも大分で句座を共にしている仲間たち、私を高みに導いてくださる「田」の同人・会員のみなさん、ありがとうございます。感謝してもしきれません。出版に際し、飯塚書店の方々には大変お世話になりました。お礼申し上げます。

最後に、私を育ててくれた父と母に感謝します。庭に来る小鳥たちにも。

二〇二四年　早春　　　　　　　　　　　　　　　草子洗

草子洗（そうしあらい）（本名　立川由紀）

一九七五年　大分県生まれ
二〇一二年　田入会　水田光雄に師事
二〇一三年　文學の森　第四回北斗賞　佳作
二〇一九年　第五回田賞受賞
二〇二三年　第七回新鋭俳句賞　最終候補
　　　　　　第六九回角川俳句賞　予選通過
二〇二四年　第三八回俳壇賞　予選通過

俳人協会会員
現住所　〒八七〇−一一四七
　　大分県大分市ふじが丘西三−七−一〇

田叢書第十一集
句集　由布久住（ゆふくじゅう）
二〇二四年五月九日　初版第一刷発行
著　者　草子洗
装　幀　山家由希
発行者　飯塚行男
発行所　株式会社 飯塚書店
http://izbooks.co.jp
〒一一二-〇〇〇二
東京都文京区小石川五-一六-四
☎ 〇三（三八一五）三八〇五
FAX 〇三（三八一五）三八一〇
印刷・製本　日本ハイコム株式会社

ISBN978-4-7522-5018-0